# Astrid Lindgren

# Geschichten aus Bullerbü

Bilder von Ilon Wikland

Verlag Friedrich Oetinger · Hamburg

Dieses Buch enthält:

Kindertag in Bullerbü (*Barnens dag i Bullerbyn*)
Lustiges Bullerbü (*Vår i Bullerbyn*)
Weihnachten in Bullerbü (*Jul i Bullerbyn*)

# Kindertag in Bullerbü

Dies sind Lasse und Bosse und ich und Britta und Inga und Ole. Das sind wir Kinder aus Bullerbü. Und natürlich Kerstin. Das ist Oles kleine Schwester. Sie ist erst zweieinhalb Jahre alt und nur ein halber Mensch, sagt Lasse.

Es gibt in unserem Dorf nur drei Höfe, den Nordhof,
den Mittelhof und den Südhof. Britta und Inga wohnen
im Nordhof, Lasse, Bosse und ich wohnen im Mittelhof,
und Ole und Kerstin wohnen im Südhof.

Einmal las Lasse in der Zeitung, dass in Stockholm
der Kindertag gefeiert wird. Da sagte Lasse: »In Bullerbü
sollten wir auch einen Kindertag feiern. Wir könnten
einen Kindertag für Kerstin machen.«
»Wie denn?«, fragte Ole. »Wie macht man einen Kindertag?«
»Man macht eine ganze Menge Spaß«, sagte Lasse. »Wenn
wir einen ganzen Tag lang Spaß für Kerstin machen, wird
sie vielleicht nicht mehr an allen anderen Tagen hinter uns
herlaufen, wenn wir in Ruhe spielen wollen.«

Und dann machten wir einen Kindertag für Kerstin. Wir fingen am selben Morgen an. Wir brachten ihr das Frühstück, Brötchen und Kakao, ans Bett. Und während sie aß, standen wir um ihr Bett herum und sangen ihr etwas vor. »Der Bauer fuhr in den Wald hinein, heidi, heida, fallerallera«, sangen wir, denn dieses Lied finden wir sehr schön. Kerstin versteht es nicht, aber sie findet »heidi, heida« sehr schön.

Und dann begannen wir, Spaß zu machen. Lasse hatte
in der Zeitung gelesen, dass die Kinder in Stockholm auf
Pferden reiten dürfen, wenn Kindertag ist.
»Das werden wir gleich haben«, sagte Lasse. »Kerstin kann
auf dem Fohlen reiten.«
Wir nahmen Kerstin mit hinaus auf die Weide.
Dort war das Fohlen.
»Heidi, heida«, rief Kerstin. Aber als Lasse sie auf das Fohlen
hob, fing sie an zu schreien. »Nein, nein«, schrie sie die ganze
Zeit, »nein, nein!« Lasse musste sie wieder herunterheben.
Nun sah Kerstin zufrieden aus. Und das Fohlen ebenso.
»Das war wohl nicht besonders lustig für Kerstin«, sagte Ole.
»Nein, sie fand es nur lustig, als der Spaß zu Ende war«,
sagte Lasse.

»Die Kinder in Stockholm fahren Karussell, wenn Kindertag ist«, sagte Lasse.

»Aber wir haben ja kein Karussell«, sagte Inga.

»Wir müssen uns etwas ausdenken«, sagte Lasse. »Die
Hauptsache ist, dass ihr schwindlig wird, denn das wird
einem, wenn man Karussell fährt.«

»Wie wär´s mit unserer Schaukel?«, fragte Bosse.

»Heidi, heida«, rief Kerstin, als Lasse sie auf die Schaukel hob.
Aber als wir sie in Schwung brachten, schrie sie: »Nein, nein!«
Lasse gab ihr trotzdem immer mehr Schwung, denn er
wollte, dass sie richtig Spaß hätte.

Aber da kam Tante Lisa, Kerstins Mama, und sagte:
»Lasst das sein!«

Und da ließen wir es sein.

»Es ist schwieriger, als ich dachte, einen Kindertag zu machen«, sagte Lasse. »Wenn wir uns nun verkleiden und Kerstin Theater vorspielen? Das machen sie auch am Kindertag in Stockholm.«

Und dann verkleideten sich Lasse und Bosse und Ole als Räuber. Sie schwärzten sich das Gesicht und sahen so unheimlich aus, dass jeder Angst bekommen konnte.

»Nein, nein!«, schrie Kerstin, als sie die Jungen sah.

»Dieses Geschöpf ist völlig ungeeignet für einen Kindertag«, sagte Bosse.

»Berg-und-Talbahn, das ist jedenfalls etwas sehr Lustiges«, sagte Lasse, »das gibt es auch am Kindertag.«

»Wo sollen wir die denn herbekommen?«, fragte ich.

Lasse sagte, wir könnten Kerstin ein Seil um den Bauch binden und sie aus meinem Fenster raushängen und sie dann immer rauf- und runterziehen. »Das ist natürlich keine richtige Berg-und-Talbahn«, sagte er, »aber man nimmt, was man kriegen kann.«

»Heidi, heida«, rief Kerstin, als wir ihr das Seil um den Bauch banden. Aber als Lasse und Bosse sie durch das Fenster hinaushängten und anfingen, sie auf- und abzuhieven, da schrie sie: »Nein, nein«, sodass man es in ganz Bullerbü hören konnte. Da kam Tante Lisa und sagte, wenn wir noch mehr Dummheiten mit Kerstin anstellten, dann könnten wir etwas erleben. Wir versuchten Tante Lisa zu erklären, dass wir nur einen Kindertag für Kerstin machen wollten mit viel Spaß. Aber da sagte Tante Lisa, wir könnten einen Kindertag auf Bullerbü-Weise machen.

»Wie ist denn das?«, fragte Britta.

»Ein bisschen ruhiger«, sagte Tante Lisa. »Nehmt Kerstin mit und zeigt ihr zum Beispiel die Hühner und Schweine.« Aber Lasse und Bosse und Ole wollten nicht länger mitmachen. »Wenn man einen Kindertag macht, um sich Schweine anzugucken, dann kann man es ebenso gut lassen«, sagte Lasse.

Aber Britta und Inga und ich nahmen Kerstin mit zum
Hühnerhof. Und, man stelle sich vor, das fand sie schön.
Sie schrie nicht mehr »Nein, nein«, nicht ein einziges Mal.
Wir gaben ihr Körner, die sie den Hühnern hinstreuen
durfte. Und als alle Hühner kamen und sich um sie
drängten, da lachte Kerstin. »Heidi, heida«, rief sie
und lachte wieder.

Dann gingen wir zu der großen Sau. Sie hatte vor Kurzem
Ferkel bekommen, neun Stück. Kerstin fand es schön, sie
anzugucken. »Nöff, nöff«, sagte sie. Daran sieht man,
wie gut sie versteht, dass es Schweine sind.

Dann gingen wir weiter und sahen uns die Lämmchen an.
Das fand Kerstin auch sehr schön.
»Tante Lisa hatte recht«, sagte Inga, »Kerstin mag lieber diese
Art Kindertag, das merkt man.«

Dann guckten wir uns die Kälber auf der Weide an.
Britta sagte: »Es ist das Beste, wenn wir Kerstin alles zeigen,
was wir hier in Bullerbü haben. Wenn wir Kindertag feiern,
dann auch richtig.«

»Die Kaninchen«, sagte ich, »wir müssen Kerstin die
Kaninchen füttern lassen.«

Wir haben die Kaninchenställe hinter dem Schweinestall.
Dorthin gingen wir mit Kerstin und wir gaben ihr Salatblätter,
die sie durch die Stäbe stecken durfte. Kaninchen sind so
niedlich, wenn sie fressen. Das fand Kerstin natürlich auch.

»Wau, wau«, sagte sie zu meinem großen braunen Kaninchen.
Ha, ha, sie glaubte, es wäre ein Hund.

Dann ließen wir Kerstin auch mit dem Kätzchen spielen.

Wir banden ein Stück Papier an eine Schnur, und Inga zeigte
Kerstin, wie sie mit der Schnur laufen sollte. Sofort lief das
Kätzchen hinterher und versuchte das Papier zu erwischen.
Inga fand es selbst so lustig, dass sie die Schnur am liebsten
gar nicht aus der Hand gegeben hätte.

Aber Kerstin lachte jedenfalls und lief hinter dem Kätzchen
her und rief:

»Heidi, heida!«

Dann holten wir all unsere Puppen und trugen sie hinaus zu
dem Holunderbusch, wo wir Tisch und Stühle haben. Dort
kann man schön mit Puppen spielen. Kerstin durfte mit all
unseren Puppen spielen, mit Brittas und Ingas und meinen.
»Wenn wir Kindertag feiern, dann auch richtig«, sagte Inga.
Wir liefen zu unseren Müttern und bekamen Saft und
Zimtwecken und Pfefferkuchen und machten ein Festessen
für Kerstin unter dem Holunder. Wir spielten, dass auch die
Puppen Saft tranken und Zimtwecken aßen. Das mochte
Kerstin gern. Sie vergoss ein Glas Saft über ihr Kleid.
Aber sie rief nur: »Heidi, heida!«, und war genauso froh.

Dann kamen Lasse, Bosse und Ole. Sie hatten eine Art Karre
für Kerstin aus einer alten Holzkiste zusammengezimmert
und Räder daruntergesetzt. Bosse sammelt alte Räder und all
so etwas. Daher konnte er die Räder beschaffen.

»Jeden Tag ist ja nicht Kindertag«, sagte Bosse. »Ein wenig
muss man wohl opfern.«

Wir setzten Kerstin in die Karre und zogen mit ihr durch
ganz Bullerbü und sangen: »Der Bauer fuhr in den Wald
hinein, heidi, heida, fallerallera.«

»Heidi, heida!«, rief Kerstin. Sie hat bestimmt niemals einen
lustigeren Kindertag erlebt. Das glaube ich ganz bestimmt.

Aber dann war sie so müde, dass sie nur noch gähnte.
Nun lieferten wir sie bei Tante Lisa ab. Und als Tante Lisa
sie ins Bett legte, schlief sie augenblicklich ein.

Aber Lasse und Bosse und ich und Britta und Inga und Ole
kletterten in den großen Kirschbaum und saßen dort den
ganzen Abend und aßen Kirschen. Wir fanden, dass es ein
richtig schöner Kindertag gewesen war.

# Lustiges Bullerbü

Ich heiße Lisa, und das Dorf, in dem ich wohne, heißt Bullerbü. Es gibt in unserem Dorf nur drei Höfe und nur sechs Kinder. Im Nordhof wohnen Britta und Inga, im Mittelhof wohnen Lasse, Bosse und ich, und im Südhof wohnt Ole. Und natürlich Kerstin, das ist Oles kleine Schwester. Wie konnte ich sie nur vergessen! Ole findet, dass Kerstin das merkwürdigste Kind von ganz Bullerbü ist. Und es ist recht anstrengend, auf sie aufzupassen, sagt Ole, aber Britta, Inga und ich helfen ihm manchmal dabei. »Eine ganze Schulklasse könnte man brauchen, um auf dieses Kind aufzupassen«, sagt Inga.

Wenn der Frühling kommt, ist es besonders schön hier
in Bullerbü. In den Gärten blühen Schneeglöckchen, Krokus,
Osterglocken und Tulpen, und am Waldrand blühen tausend
Millionen Anemonen und Leberblümchen.
Kerstin pflückt gern Blumen. Aber ihre Mama hat gesagt,
dass sie nur wilde Blumen pflücken darf und nicht die
Tulpen, die auf den Beeten wachsen. Eines Tages sah ich
Kerstin, wie sie fast alle Osterglocken abriss, und ich
rief ihr zu: »Lass das sein! Du weißt doch, dass du die
nicht pflücken darfst!«
»Doch darf ich, sie sind ja wild«, sagte Kerstin. »Sie sind
danz wild.«
»Danz« sagt Kerstin und meint »ganz«.

Britta, Inga und ich nahmen Kerstin mit, setzten sie in ihren kleinen Wagen und zogen mit ihr in den Wald. Dort konnte Kerstin so viele Anemonen und Leberblümchen pflücken, wie sie nur wollte. Sie pflückte einige Blumen, aber dann schüttelte sie den Kopf und sagte: »Die hier sind nicht danz so wild wie die anderen.«

Draußen am Waldrand haben Britta, Inga und ich uns
eine Spielwohnung eingerichtet. Das machen wir immer,
wenn der Frühling kommt. Als Tisch haben wir eine Kiste,
zum Sitzen haben wir Hocker, eine andere Kiste ist unser
Schrank, und in dem Schrank steht mein Puppenservice.
Wir hatten Kerstin in unsere Wohnung mitgenommen,
und es gab Saft und Wecken, die wir von Mama
bekommen hatten. Das schmeckte uns gut.
Gerade als wir dort saßen und Saft tranken, sahen wir
im Gras einen Igel. Kerstin wollte ihn streicheln.
»Nein«, sagte Britta, »der sticht.«
Aber Kerstin streichelte ihn trotzdem. Und dann schrie sie
und war uns böse. Als ob wir etwas dafür konnten, dass der
Igel Stacheln hatte.

Im Bach, der durch die Wiese fließt, ließen Lasse, Bosse
und Ole Borkenboote schwimmen. Wir gingen mit Kerstin
dorthin, weil sie die Borkenboote sehen und mit Weinen
aufhören sollte. Aber es dauerte gar nicht lange, da setzte sie
sich mitten in den Bach. Und dann schrie sie so laut,
dass es ihre Mama zu Hause hören konnte.

»Kleine Kinder sollte man einsperren, wenn der Frühling
kommt«, sagte Lasse. »Sobald sie nur Wasser sehen, setzen
sie sich hinein.«

Gerade als er das gesagt hatte, rutschte er auf einem Stein
aus und fiel selber in den Bach.

Da lachten wir alle, und Ole sagte: »Ja, ja, kleine Kinder
sollte man einsperren, wenn der Frühling kommt. Sobald sie
nur Wasser sehen, setzen sie sich hinein.«

Dann nahm Ole Kerstin auf den Rücken
und ging mit ihr nach Hause.
Kerstin schrie die ganze Zeit,
sodass man es überall
in Bullerbü hören konnte.

Im Frühling ist es auf allen Wegen nass. Wenn wir von der
Schule nach Hause gehen, ist der Weg manchmal voller
Pfützen. Das Wasser spritzt um die Gummistiefel, und es
macht uns Spaß, durch die größten Pfützen zu planschen,
die wir finden können. Manchmal steigen die Jungen auch
in den Graben, aber dabei kann es passieren, dass sie Wasser
in die Stiefel bekommen. Manchmal versuchen wir, eine
größere Strecke auf dem Holzzaun zu gehen. Einmal kam
eine Frau vorbei und sah uns zu. Sie glaubte, dass wir auf
dem Zaun gingen, um keine nassen Füße zu bekommen. Sie
konnte nicht verstehen, dass wir es nur zum Spaß machten.
»Wer hat gesagt, dass man nur auf Wegen gehen soll?«,
fragte Lasse hinterher.
»Das war bestimmt irgendein Erwachsener«,
sagte Bosse und lachte.
Und das glaube
ich auch.

Wir haben viele Tiere in Bullerbü: Pferde und Kühe und
Schweine und Schafe und Hühner und Katzen. Außerdem
hat Ole einen Hund, der heißt Swipp. Im Frühling werden
viele Kälber und Ferkel und Lämmer und Küken in Bullerbü
geboren. Und auch ein oder zwei Fohlen. Jeden Morgen
gehen wir in den Stall, um zu sehen, ob in der Nacht
ein neues Junges dazugekommen ist.

Eines Morgens geschah etwas Wunderbares. Ich bekam ein Lämmchen von Papa, und er sagte, es sollte mein eigenes sein. Das kleine Lamm hatte keine Mama mehr, und ich sollte seine Pflegemutter sein.

»Du musst ihm Milch mit der Flasche geben, genau wie einem Wickelkind«, sagte Papa.

Ich taufte mein Lämmchen Pontus.

»Wenn du einmal keine Lust haben solltest, Pontus zu füttern, dann kann ich dir helfen«, sagte Inga.

Aber da sagte ich: »Haha, du glaubst doch wohl nicht, dass ich die Lust verliere, mein Lämmchen zu füttern?«

Als Papa mir Pontus schenkte, konnte ich noch nicht ahnen, dass Lämmchen immer hungrig sind. Manchmal kommt Pontus sogar in die Küche, wenn ich gerade Milch für ihn wärme, weil es ihm zu lange dauert. Aber das mag unsere Katze nicht, denn sie findet, dass ein Lämmchen nicht in die Küche gehört.

In Bullerbü haben wir einen Widder, der heißt Ulrich, und er ist bösartig. Eines Tages hatte Papa die Schafe hinaus auf die Weide gebracht. Wir gingen alle dorthin, um Pontus zu füttern. Aber als ich Ulrich in der Herde entdeckte, erschrak ich und sagte: »Jetzt wage ich es nicht, auf die Weide zu gehen.«

»Aber ich!«, sagte Lasse. »Her mit der Babyflasche!«

Ich gab ihm die Flasche, und er kletterte über den Zaun. Da kam Ulrich ihm entgegen und er sah sehr angriffslustig aus.

»Du glaubst doch nicht etwa, dass ich Angst vor dir habe«, rief Lasse.

Doch dann drehte er sich um und lief, so schnell er konnte, davon und Ulrich hinter ihm her. Lasse konnte sich gerade noch rechtzeitig über den Zaun werfen, da fuhr Ulrich mit seinen Hörnern in den Zaun, dass es krachte.

»Du glaubst doch nicht etwa, dass ich Angst vor dir habe«, sagte Lasse keuchend noch einmal.

»Nein, nein, auf dieser Seite des Zaunes bestimmt nicht«, sagte Bosse.

Nachdem Papa Ulrich angebunden hatte, damit Pontus
seine Mahlzeit bekommen konnte, sagte Bosse zu Lasse:
»Du bist kein bisschen mutig, Lasse!«
»Das bin ich doch«, behauptete Lasse.
Nun wetteiferten die Jungen, wer der Mutigste sei.
»Ich wage es, vom Holzschuppendach zu springen«,
sagte Lasse.
»Ich auch«, antwortete Bosse.
»Und ich auch«, sagte Ole.
Und dann sprangen alle drei vom Dach des
Holzschuppens.

Später sagte Lasse: »Ich wage es, auf dem Stier zu reiten!«
Unser Stier ist bestimmt der netteste, den es in ganz
Schweden gibt. Er stand angebunden vor dem Kuhstall und
verzog keine Miene, als Lasse auf seinen Rücken kletterte.
Er bewegte sich nicht einmal von der Stelle. Daher wurde
nicht viel aus der Reiterei.

»Haha, das wage ich auch«, rief Bosse.

»Und ich auch«, sagte Ole.

Und sie kletterten hinter Lasse auf den Rücken des Stiers.
Aber da sagte Britta: »Ich wage es, auf dem Kuhstalldach
entlangzugehen.«

An der Giebelseite vom Kuhstall stand eine Leiter,
und Britta kletterte tatsächlich auf das Dach hinauf.
Aber gerade als sie auf dem Dach stand, öffnete ihre
Mutter das Küchenfenster und schrie: »Bist du verrückt,
Britta? Komm sofort herunter!«
Da stieg Britta, so schnell sie konnte, die Leiter wieder
herunter.
Auf einmal sahen wir Kerstin. Sie stand hinter uns und
zog und zerrte unsere Katze am Schwanz.
»Ich wage es, die Katze festzuhalten«, sagte sie.
Aber da sagte ich: »Bist du verrückt! Lass das sofort bleiben!«
»Ist hier noch jemand, der mutig ist?«, fragte Britta.
Und Lasse antwortete: »Ich finde uns alle ziemlich mutig!«

Nachher spielten wir Verstecken mit Oles Hund Swipp.
Er ist so klug und er bekommt immer heraus, wo wir uns
verstecken. Und wenn er jemanden gefunden hat, bellt er
so laut, wie er kann.
Kerstin war auch dabei und spielte mit. Sie stellte sich zwei
Meter von Swipp entfernt hin und hielt sich die Hände vor
die Augen. Sie glaubte, dass Swipp sie so nicht sehen konnte.
Aber Swipp verstand nicht, dass Kerstin auch Verstecken
spielte, deshalb suchte er nicht ein bisschen nach ihr.

Als es dämmerte, kam Papa und zündete einen Laubhaufen an, den wir zusammengeharkt hatten.

»Wir wollen ein kleines Frühlingsfeuer machen«, sagte er.

»Hurra!« und »Oh, wie schön!«, riefen wir alle.

Wir tanzten und sprangen um das leuchtende Feuer herum und wir spielten, wir wären Indianer, und schrien und heulten, dass man es über ganz Bullerbü hören konnte.

Nur Kerstin stand stumm dabei.

»Ihr seid ja völlig wild geworden, Kinder«, sagte Papa.

»Ja, danz völlig wild«, sagte Kerstin.

Aber ich glaube, so sind alle Kinder im Frühling.

Jedenfalls wir Kinder aus Bullerbü.

# Weihnachten in Bullerbü

Ich heiße Lisa und ich wohne in Bullerbü.
Hier in Bullerbü, wo wir wohnen, gibt es drei Höfe,
den Nordhof, den Mittelhof und den Südhof.
Im Nordhof wohnen Britta und Inga, und im Mittelhof
wohnen Lasse, Bosse und ich, und im Südhof wohnen
Ole und seine kleine Schwester Kerstin.
So sieht es im Winter in Bullerbü aus:

Zu Weihnachten ist es ganz besonders schön hier in
Bullerbü. Sogar die Spatzen haben es dann gut, denn
wir stellen Weihnachtsgarben für sie auf. Und für die
Dompfaffen natürlich auch und für alle anderen kleinen
hungrigen Vögel.
Wir Kinder aus Bullerbü haben es Weihnachten auch gut,
viel besser noch als die Spatzen. Und jetzt will ich erzählen,
wie es letztes Weihnachten hier in Bullerbü war.
Drei Tage vor Weihnachten backten wir Pfefferkuchen.
Dabei geht es fast so lustig und fröhlich zu wie am
Weihnachtsabend. Das war ein Geruch von Pfefferkuchen
in ganz Bullerbü an diesem Tag!
»Diese Art Geruch habe ich gern«, sagte Lasse.
Er backte neunzehn Pfefferkuchenschweine und ich backte
vierzehn und Bosse elf. Aber wir machten auch Herzen und
Sterne und andere Figuren.

Wenn es Weihnachten wird, müssen alle Kinder aus
Bullerbü mithelfen. Einen ganzen Tag brachten wir damit
zu, Feuerholz mit dem Holzschlitten hereinzuholen.
»Wir können doch nicht all dies Holz verbrennen«, sagte Ole
plötzlich. »Das ist doch schon viel zu viel.«
Aber das sagte er nur, weil er keine Lust mehr hatte und
nicht länger mitmachen wollte.
Da sagte Oles Mama: »Wir können hier keinen Faulpelz
brauchen mitten in den Weihnachtsvorbereitungen. Jetzt
müssen alle mithelfen.«
Außer Kerstin natürlich. Sie saß hoch oben auf der
Holzfuhre und lachte und war vergnügt. Sie ist ja noch
so klein.

Am Tag vor dem Weihnachtsabend fuhren wir in den
Wald und suchten uns Weihnachtsbäume aus. Vier Tannen
brauchen wir in Bullerbü – denn jeder Hof soll einen
Tannenbaum haben –, und außerdem bekommt Großvater
auch eine kleine Tanne. Mein Vater schlug drei Tannen, aber
Lasse schlug Großvaters Tanne. Britta und Inga fuhren sie
auf ihrem Schlitten nach Hause.

Als wir auf dem Heimweg waren, kam uns Oles Hund
entgegen. Er bellte Ole an.

»Das macht er nur, weil wir ihn nicht mit in den Wald
genommen haben«, sagte Ole.

Am Abend gingen wir von Hof zu Hof und sangen
Weihnachtslieder vor den Fenstern.
»Alles ist so schön weihnachtlich, dass ich fast
Bauchschmerzen bekomme«, sagte Inga.

Großvater ist eigentlich nur Brittas und Ingas Großvater.
Aber er gehört uns auch.

»Wenn es nicht mehr Kinder sind, als es hier in Bullerbü
gibt, dann reiche ich für alle«, sagt Großvater.

Wir waren in seinem Zimmer und schmückten seine Tanne,
und Inga erzählte ihm, wie schön der Weihnachtsbaum
geworden war. Denn Großvater kann kaum noch sehen.

»Aber ich kann mir genau vorstellen, wie der Baum
aussieht«, sagte er. »Außerdem kann ich ihn auch riechen.«

»Kannst du auch riechen, wie rot die Äpfel sind?«,
fragte Inga.

An diesem Abend ging ich unruhig ins Bett, denn ich
fürchtete, Mama würde nicht mit allen Vorbereitungen
fertig werden. Diesmal wird es wohl kein richtiges
Weihnachten, dachte ich.
Aber als ich am nächsten Morgen aufwachte, war
ich ganz überrascht. Oh, unten im Zimmer stand der
Weihnachtsbaum fertig geschmückt und es brannte
ein Feuer im Kamin, und alles war so herrlich.

Der Heilige Abend ist wohl der längste Tag im ganzen Jahr, jedenfalls der Vormittag.

»Diese Stunden, in denen man nur so herumsitzt und wartet und wartet, die sind es, von denen man grauhaarig wird«, sagte Lasse.

Es schneite den ganzen Tag. Wir setzten uns Weihnachtsmannmützen auf und liefen mit kleinen Weihnachtsgeschenken hinüber zu Britta und Inga und zu Ole und Kerstin und guckten uns ihre Weihnachtsbäume an. Überall war es weihnachtsfein. Inga und Britta waren gerade dabei, ihre Weihnachtsgeschenke zu versiegeln, daher roch es im ganzen Haus nach Siegellack.

Zu Weihnachten essen wir viel. Wir sitzen um den großen Küchentisch herum und essen und essen. Schinken und Wurst und Kompott und Stockfisch und Grütze und viele andere gute Dinge.

Nach dem Essen setzten wir uns ins Wohnzimmer und Papa las uns die Weihnachtsgeschichte vor und dann sangen wir: »Oh du fröhliche, oh du selige Weihnachtszeit.« Plötzlich rief Lasse: »Oh, der Weihnachtsmann kommt!« Wir liefen ans Fenster und sahen hinaus. Und dort draußen in der Dunkelheit stand der Weihnachtsmann mit seinem Schlitten, voll beladen mit Weihnachtsgeschenken. Er trug eine Laterne in der Hand, damit er den Weg fand.

»Ich habe fast ein bisschen Angst«, sagte Bosse.

»Ich nicht«, sagte Lasse. »Wir bekommen doch Weihnachtsgeschenke. Weshalb soll man da Angst haben?«

Wir bekamen viele Weihnachtsgeschenke. Ich bekam mehr, als ich mir gewünscht hatte.

Nachdem wir unsere Geschenke angesehen hatten, tanzten wir um den Weihnachtsbaum. Alle aus ganz Bullerbü kamen zu uns und tanzten mit uns um unseren Baum. Sogar Großvater kam, wenn er auch nicht tanzte. Er saß auf seinem Stuhl und sagte »hmhmjaja«. Aber wir anderen tanzten und sangen umso mehr.

Wir knackten auch Nüsse und aßen Apfelsinen und Marzipan, bis wir müde wurden und ins Bett mussten.

Am nächsten Morgen standen wir früh auf und fuhren zur Christmesse.

»Ratet, was ich gern mag«, sagte Lasse. »Ich mag gern im Dunkeln Schlitten fahren und eine Fackel haben, die weit leuchtet.«

»Ratet, was ich gern mag«, sagte Bosse. »Ich mag gern Schlittengeläut, und dann mag ich gern, wenn es nach Pferd riecht.«

»Ratet, was ich gern mag«, sagte ich. »Ich mag gern, wenn Weihnachten ist.«

»Ja, natürlich«, sagte Lasse. »Das mögen wohl alle Menschen gern.«

Als wir von der Christmesse nach Hause kamen, nahmen wir Kinder von Bullerbü unsere Skier und Schlitten und fuhren und fuhren den ganzen Tag. Nur Ole blieb ganz allein auf dem Nordhof-See; er hatte nämlich Schlittschuhe zu Weihnachten bekommen.

Am Abend feierten wir bei Britta und Inga. Wir spielten
Blindekuh und viele andere Spiele und wir waren ganz
schrecklich lustig.

Kerstin saß auf dem Tisch. Sie fürchtete sich ein bisschen
vor der blinden Kuh. Aber als sie Torte essen sollte, fürchtete
sie sich gar nicht.

Oh, wie ist es schön, wenn Weihnachten ist! Ich wünschte
nur, dass ein wenig öfter Weihnachten wäre.

FSC
www.fsc.org
MIX
Papier aus ver-
antwortungsvollen
Quellen
FSC® C002592

© Verlag Friedrich Oetinger GmbH, Hamburg 2008
Alle Rechte für die deutschsprachige Ausgabe vorbehalten
© Astrid Lindgren 1963, 1965, 1966 / Saltkråkan AB (Text)
© Ilon Wikland, 1963, 1965, 1966 (Bild)
Die schwedische Originalausgabe erschien bei Rabén & Sjögren Bokförlag, Stockholm,
unter dem Titel »Barnen i Bullerbyn«
Veröffentlicht mit Zustimmung von Norstedts Agency
Deutsch von Silke von Hacht
Printed 2013
ISBN 978-3-7891-7539-8

www.astrid-lindgren.de
www.oetinger.de